WELCOME!

多多岛，被漂亮的蔚蓝大海包围

岛上有绿油油的田地

和金色的沙滩

还有小河、溪流

很多鸟儿在树上歌唱

这里有风车和一座煤矿

迎接游客到岛上观光的码头

岛上还有很多很多的火车路线

刚刚是谁经过这条铁轨呢

是托马斯

你好，托马斯！

哈啰，大家好！

欢迎光临多多岛！

不一样的小火车

爱指挥的高登

根据奥德利 "铁路故事系列" 改编

罗宾·戴维斯　杰瑞·史密斯　绘图

THOMAS
& FRIENDS
™

童趣出版有限公司编译　人民邮电出版社出版

北京

图书在版编目（CIP）数据

爱指挥的高登/艾阁萌（英国）有限公司著；童趣出版有限公司编译.— 北京：人民邮电出版社，2009.8

（不一样的小火车）

ISBN 978-7-115-20138-6

Ⅰ.爱… Ⅱ.①艾…②童… Ⅲ.图画故事—英国—现代 Ⅳ.I561.85

中国版本图书馆CIP数据核字（2009）第126956号

不一样的小火车

爱指挥的高登

责任编辑	叶　瑛	编　译	童趣出版有限公司
执行编辑	代冬梅	出　版	人民邮电出版社
封面设计	段　芳	地　址	北京市东城区交道口菊儿胡同七号院（100009）
排版制作	Rinkong工作室	网　址	www.childrenfun.com.cn

读者热线：010-84180588　　经销电话：010-84180459

印　刷	北京利丰雅高长城印刷有限公司
开　本	889×1194　1/24
印　张	2.5
字　数	25千字
版　次	2009年8月第1版　2011年10月第9次印刷
书　号	ISBN 978-7-115-20138-6
图　字	01-2009-4830
定　价	12.00元

高登

编　号：4

车　型：客货两用蒸汽机车

原　型：没有特定的原型，不过跟奔跑在英国伦敦东北铁路线上的苏格兰飞人号很像

特　征：胖总管手下跑得最快的火车头，心地善良，总爱帮助别人，有时也很高傲

最骄傲的事：女王来多多岛访问，坐的就是高登的快车

高登的画像

高登的照片

高登喜欢自吹自擂，还喜欢对别人指手画脚。

这一天，他又跟爱德华炫耀上了："嗨，老兄，今天下午，你要好好儿看我拉快车哦。"

然后，高登吹响了汽笛。在开走之前，他又补充道："别跟那些货车玩儿，爱德华，虽然不是什么错，但就是不能那么做。"

爱德华才不听高登的，他跟货车们玩得可开心了。他悄悄开到货车们后面，猛地一推，然后立刻刹住车。货车们刹不住脚，一辆接一辆地撞成一团。

"天哪！"货车们喊道，"出了什么事？"

爱德华咯咯笑着玩啊玩，直到再没有一辆货车能动一动，他才停下来休息。

突然，爱德华听到了汽笛声。是高登开过来了，他看起来非常生气。

咦，怎么回事？高登没有拉那些干净漂亮的客车，而是拉着一串脏兮兮的煤车。

"讨厌的老煤车！"高登边开边嘟哝，"羞死了！"

爱德华哈哈大笑着，找更多的货车玩去了。

可是不一会儿，麻烦来了。

一个工人跑过来，对爱德华的司机说："高登爬不上山了，你能开着爱德华去推推他吗？"

于是，爱德华在山腰上找到了高登，他的司机正发火呢。"你不能再试试吗？"他对高登喊道。

"我做不到，"高登回答说，"这些讨厌的老煤车一直往后拽我。"

于是，爱德华接到高登的守车上。列车长吹响哨子，高登开始使劲儿向前拉，爱德华用尽全身力气往前推。

"我做不到，我做不到……"高登喷着烟说。

"我做得到，我做得到……"爱德华却说。

过了好一会儿，高登终于爬上了山顶。

"我做到了！"高登骄傲地说。他完全忘掉了在后边用力推的爱德华，连一声谢谢也没说，就咔嚓咔嚓向下一个车站驶去。

不过，胖总管可没有忘记感谢爱德华。第二天，他就给了爱德华一件崭新的蓝漆外套。

高登并没有接受教训，他还是爱炫耀，爱对别人指手画脚。这一次又轮到亨利被教训了。

"亨利，你的汽笛太响了，"高登说，"高雅体面的小火车是不会在车站里大声吹汽笛的，虽然不是什么错，但就是不能那么做。"

听到高登这么说，可怜的亨利难过极了。

第二天早上，高登离开机房时，又大声对亨利喊道："你一定要记住我说过的话，别大声吹汽笛。"

下午，亨利驶进爱德华的车站。爱德华对他说："亨利，昨天你快乐地吹汽笛，我真的很喜欢听。"

"谢谢你，爱德华！"亨利很高兴有人愿意听他吹汽笛，"嘘！你听到什么声音了吗？"

爱德华仔细一听，很远很远的地方传来了尖锐的汽笛声，而且越来越近了。"听起来好像是高登，可是高登从来不那样吹汽笛呀。"爱德华疑惑地说。

不过，那的确是高登。他以惊人的速度冲下山坡，驶过车站，很快便消失不见了。他的汽笛关不上，都快把自己叫爆了。

高登尖叫着驶过沿途的火车站，搬运工人和乘客都堵住了耳朵，救火车赶紧出发去看哪里失了火，老太太们吓得抖掉了手里的包裹。

这叫声太可怕了，连胖总管也生气地大喊："快把他弄走，别让他再叫了。"

可高登仍然大叫不止，他觉得非常难过。

直到最后一批乘客下车离开，高登还在叫。

两名修理工爬上车顶，用力敲打高登的汽笛，最后，高登的汽笛终于安静下来了。

高登缓缓开进机房。看见机房里一辆小火车也没有，他很开心，他可不希望有人来嘲笑自己。

傍晚的时候，小火车们都开回了机房。

"不是什么错，"爱德华小声说，"就是不能那么做。"

所有的小火车都笑了，除了高登。

从那以后，高登安静了很多，成了一辆谦虚的小火车。反正，至少谦虚了好几天！

长长的火车

火车头挂上好多好多节车厢，就组成了我们看到的长长的火车。那么在中国，一般情况下，一列客运列车由哪些部分组成呢？看看下面的示意图，你就知道了！

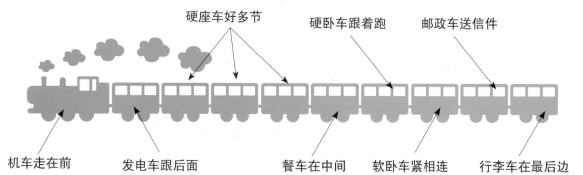

硬座车好多节　　硬卧车跟着跑　　邮政车送信件

机车走在前　　发电车跟后面　　餐车在中间　　软卧车紧相连　　行李车在最后边

货运列车的车厢有哪些呢？下一个"小火车百科"告诉你！

"老废铁" 爱德华

爱德华

编　号：2

车　型：客货两用蒸汽机车

原　型：没有特定的火车原型，不过他的轴式是4-4-0

特　征：胖总管的宽轨铁路上的老资格

最擅长的事：在其他小火车做错事的时候像长辈一样安慰大家，
　　　　　　鼓励大家

爱德华的画像

爱德华的照片

爱德华正在慢慢变老，许多零件又破又旧，大火车们都叫他"老废铁"，因为他一开起来就会发出咣当咣当的响声。

一天，爱德华拉着空货车去市场，一路上都响着很大的咣当声，结果惊扰了一群正在铁路边的草地上吃草的牛。牛儿们甩着尾巴跑了起来。

牛群撞倒篱笆，朝着最后几节货车冲去！一根联接杆被撞断了，几节货车被丢在了后面。

爱德华感到货车们突然抽动了一下，不过他还以为他们像平常一样在淘气呢。直到爱德华开进下一个火车站，他才明白到底发生了什么事。

这个消息很快就在火车们中间传开了。

"傻乎乎的老废铁，竟然被牛吓掉了链子！"
高登大声嘲笑道，"它们绝对不敢这样对我。"

爱德华尽量装做不在意，可是托比很生气，
他说："别听高登的，爱德华！牛可不是好惹的。"

托比的话让爱德华稍稍好过了一些。

几天后，高登经过一座小桥时，也有一头母牛沿着铁轨朝他走了过来。"减速，高登！"司机关掉蒸汽阀门，让高登慢慢往前开。

"哼！"高登说，"只不过是头母牛！嘘！嘘！走开！"可是母牛不但没有走开，反而哞哞叫着朝他走了过来，越走越近。高登竟然害怕了，他后退了好几步，最终停了下来。

列车长跑到最近的火车站，把这件事告诉了门卫。"那一定是蓝贝尔，她肯定是因为丢了孩子，正伤心呢。"门卫说，"她的小牛在这儿，快把他带过去吧！"

"哞！哞！"蓝贝尔看见她的孩子，高兴得直用鼻子轻轻地拱小牛。

高登一声不响地开到火车站。他希望没人听说蓝贝尔的事。可是，消息早就传开了。爱德华笑着说："像你这样的大火车，也会害怕牛啊？"

"我可没害怕，"高登生气地说，"我只是不想撞伤那个可怜的小东西。"

"没错，高登！"爱德华严肃地说，不过他非常清楚高登后退的真正原因！

第二天，爱德华为詹姆士送乘客，可是他迟到了，詹姆士抱怨道："这个老废铁又让我们等。"

托马斯听了非常生气，"老废铁？哼！要是赛跑，爱德华准能赢你！"

"是吗？"詹姆士说，"我倒很想见识见识呢。"

正巧这时爱德华开进了火车站，他听见了詹姆士的话，不过他什么也没说，只是笑了笑。

一天，詹姆士的司机生病了，司炉打电话想找一个代班的司机。可是突然，他听见信号员大喊起来。原来，詹姆士自己开走了！司炉跑去追他，可是詹姆士越跑越快，很快就消失不见了。

"刚才有两个男孩跑到了车里。"当司炉返回来时，信号员告诉他，"爱德华很快就会带着维修员开过来，他需要一根长杆子和一卷钢索。"

詹姆士的司炉拿着杆子和钢索，等来了爱德华。

"做得好，司炉先生！"维修员说，"来，上车！"

"别担心，我们会赶上他的！"爱德华喷着烟飞快地向前冲。渐渐地，他追上了詹姆士。

维修员小心翼翼地爬出爱德华的驾驶室，站在火车前面的踏板上。他把钢索系成一个圈套，挂在长杆子的顶端，稳稳地套住了詹姆士的缓冲器。"套住了！"他大声喊着将钢索收紧。

爱德华的司机慢慢地刹车，詹姆士的速度也慢了一点点，他的司炉趁机爬进驾驶室，拉下刹车闸，詹姆士终于停了下来。

"看，老废铁抓住你了！"爱德华微笑着说。

"对不起！"詹姆士小声说，"谢谢你救我！"

当他们肩并肩开到火车站时，胖总管也在那里，他说："爱德华，你完成了一个了不起的任务，你真棒！我要送你去修理场，把你修好。"

"真的吗？谢谢您，先生！"爱德华好高兴哪！

不久，詹姆士的司机身体康复，重新回来工作了。那两个淘气的男孩，因为被詹姆士突然开动吓坏了，他们决定，还是长大了再去学开火车吧。

当爱德华从修理场回来时，小火车们都热烈地欢迎他回家，连高登也欢呼了一声！爱德华现在非常幸福，因为再也没人管他叫"老废铁"了！

各式各样的货车

　　货运列车是专门运送货物的，根据货物的特点不同，运送它们的货车也各不相同哦，下面就是一些常见的货车。很多很多节这样的货车连在一起，就能组成一眼望不到头的火车长龙哦！

棚车

漏斗车

平车

敞车

罐车

运兽车

托马斯和朋友们送来好看又好玩的小火车图书喽！你有几本了？

快去书店挑选你喜欢的，带回家建一个小火车书架吧！

托马斯和朋友动画故事乐园（第一辑）

2009年1月出版

托马斯和朋友百宝游戏屋

2009年5月出版

托马斯和朋友动画故事乐园（第二辑）

2009年6月出版

不一样的小火车（1~6）

2009年8月出版